햇살에 기대다

이동우 작가 시선2집

햇살에 기대다

발 행 | 2024년 07월 30일
저 자 | 이동우
펴낸이 | 한건희
펴낸곳 | 주식회사 부크크
출판사등록 | 2014.07.15(제2014-16호)
주 소 | 서울특별시 금천구 가산디지털1로 119 SK트윈타워 A동 305호
전 화 | 1670-8316
이메일 | info@bookk.co.kr

ISBN | 979-11-410-9732-5

햇살에 기대다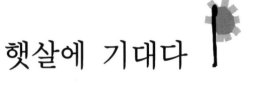

햇살사이로
시원한 바람이
낚시대 드리운
고래의 꿈에
스러져 내리고
고래는 수면위로
물을 뿜으며
힘차게 솟아오른다

『고래의 꿈』　中에서

Content

제2부 살아가는 컨텐츠

제3부 여백을 채우다

제4부 함께 숨쉬는 작은 것들

시인의 말

누구에게나 평생 과제이지만 산다는 것에 대한 해답을 서
두르지 않고 계속해서 찾아가는 중입니다
답을 구하려 이리저리 책을 들추다가 말하기 좋아하는 누
군가에게 물어보기도 하고 혹은 온라인 상에 떠도는 그럴
듯한 컨텐츠에 관심을 뺏기기도 하면서 때론 적극적으로
손을 내밀어 보지만 결국은 스스로 답하면서 결론을 내야
하는 지난한 과정이란 걸 알고 있습니다

지나버린 과거에 대한 아쉬움과 집착보다는 알토란같이
남아있는 시간들을 더 소중히 여기고 오래 간직하기 위해
사사로이 흘러가는 작은 느낌이나 감정들도 소홀히 하지
않고 하나 둘 모아 시어를 만들고 시라는 이름으로 함께
나누려 합니다

지난 삼십년 간의 직장 생활을 갑작스레 정리할 때까지만
해도 무엇인가를 해야 한다는 의무감과 미래에 대한 불안
으로 스스로를 재촉하고 차분히 돌아보지 못하다가

이제 새로운 일에 적응하면서 오히려 천천히 그리고 진지하게 인생을 바라보게 되었습니다

퇴임 후 졸작이나마 첫 번째 시집인 『노을지기 이른시간』을 출간하면서 생각하는 여유와 천천히 관찰하며 알아가는 버릇이 생겨나고 이것이 연결되어 다시 창피함을 뒤로한 채 두 번째 시집 『햇살에 기대다』를 출간하게 되었습니다
이 시집을 만나는 모든 분들께 졸작이나마 조금이라도 햇살같은 위안과 휴식을 드릴 수 있으면 좋겠다는 생각을 하면서 책상 앞에 앉아 다시 용기내어 펜을 듭니다
창문으로 햇살이 눈부시게 다가옵니다

2024년 햇살 내리는 어느 여름날에

이 동 우

제1부　고래를 꿈꾸다

고래의 꿈

익숙한 이른 새벽
고요의 바다에
얇은 낚시대 드리우고
작은 배 출렁이며
고래를 꿈꾼다

잔잔한 수평선
떠오르는 햇살아래
정성스레 지은 미끼가
힘찬 포물선을 그리며
일렁이는 수면아래
고요한 사색으로
아련히 스며든다

눈부시게 푸른
푸르러서 눈물나는
심연의 바다
고래의 그 큰 꿈을
작은 배에 둘 수 없어
움켜잡은 낚시대를
조용히 내려 놓았다

햇살사이로
시원한 바람이
낚시대 드리운
고래의 꿈에
스러져 내리고
고래는 수면 위로
물을 뿜으며
힘차게 솟아오른다

치유의 시간

책장 넘기듯
가벼운 손길로
읽어내리던 삶에
간혹 눈물 뿌리고
힘들어 해도
그래도 살만한 세상이라
고마워했다

차가운 아스팔트에
등 떠밀려
숨가쁜 발자국 새겨도
돌아서면
마음 속 초가 한칸
정겹게 지어
새소리 물소리
위안삼아 놀았다

처마 밑
새로이 튼 둥지에
어느새 겨울 찾아와
찬바람에 한기 들어도
또다시 봄이 오면
눈 녹고 따스한 공기
하늘거리는 깃털로
다시 날아 오른다

이제 시간은
온전히 나를 지키며 위로하고
그 위로에 감사하는
반갑고 고마운
치유의 동반자다

추억서사시

햇살 늘어진
나른한 오후
각기 다른 시간
아련한 추억이
잔잔한 바람타고
커피향처럼
은은히 쏟아져 내린다

붉게 타올랐던
선명한 기억은
깊은 자국을
마음에 남기고
세월과 함께
농익고 물러져
추억으로 아롱진다

은밀하고 관대한
시간의 손길이
용서와 망각으로
기억의 조각을
새로이 맞추고
미워서 추억되고
좋아서 그리움되어
한데 어우러져
그렇게 인생이 된다

그러다 문득
살다가 지루할 때
주위를 둘러보면
길게 늘어진
오후 햇살처럼
추억들도 하나 둘
정겹게 늘어서
잠든 나를
조용히 흔들어 깨운다

나이 한 살 더 먹는다는 것

나이 한 살
더 먹는다는 건
뒤주간 쌀 줄어들듯
남은 시간이
아쉬워지는 게 아니라
나이테 쌓이듯
그렇게 마음이
단단해지는 거다

나이 한 살 더 먹는다는 건
조금씩 더
어른다워져서
길게 보고
따스하게 말하는
가르쳐주지 않고

배우려하지 않는
지혜가
생겨나는 거다

나이 한 살
더 먹는다는 건
아파도 아프지 않게
슬퍼도 슬프지 않게
그렇게 가슴앓이 해가며
살면서 조금씩
세월을 헤어가는 거다

나이 한 살
더 먹는다는 건
한겨울 힘겹게 견뎌내
새순을 틔우고
꽃을 피워
열매를 맺듯
그렇게 혼자

조심스레 지어가는
덧셈의 작업이다

그래서
나이 한 살 더 먹은
내가 좋아
정겹게 늙어갈
나를 기다리며
살포시 내려오는
나이 한 살
그렇게 또 맛나게
받아 먹는다

삶, 바라봄

한순간인데
하는 짓이
영원히 머물 듯
하네

쉼없는 곡괭이질
혼자서 힘들어
토해내는 한숨
쌓여가는 피로가
애닳고도
처량하네

꽃잎 떨어지면
새싹 틔우고
그 새싹에

세상 다시
열리는데
꽃잎 져서
슬프다 하고
그 꽃잎에
어린 눈물
한숨섞어
흩뿌리네

세상은
그대로인데
스스로
괴롭히며
울고 웃다
흐른 시간
후회한들
무엇하리
걱정해서
무엇하리

한순간 지나고
변한 게 없는데
사는 게 그런지
헤어나지 못하고
챗바퀴 속
무거운 오늘
이고 지며
돌아가네

변함없이
같은 길을
어렵사리
돌아가네

봄날이 간다

내 생애
뒤늦게 찾아온
하루의 봄날이
또 그렇게
지나갑니다

보사노바 재즈같은
찬란한 봄날이
음악처럼 잔잔히
흘러갑니다

숨가쁘던
시계 초침을
달콤한
치즈케잌

따뜻한

커피 한잔에

어르고 달래

조금 느리지만

더 늦지 않게

그렇게 갑니다

지금껏 외면한

봄날이 주는

조금의 여유를

여유가 주는

편안한 휴식을

부끄럽지만

호사스레

누려봅니다

화사하게

다시 찾아온

선물같은 봄날은

조용하지만

찬란하게

그렇게 고맙게

흘러갑니다

내 나이 오십 중반

내 나이
오십 중반
긴 세월 묶인
책임의 속박
시간의 굴레
땀내 나는 헌옷을
훌훌 벗어 던지니
생각하는 여유에
움직이는 자유가
어설프게 엮어져
웅크렸던 감성이
수줍게 깨어났다

어깨에 내려앉은
무게감이 사라지니

늦은 밤 차 한잔에
코 끝이 향기롭고
월요일이 지척인
짧은 휴일 오후
끈적한 째즈 선율도
재촉없이 평화롭다

새로 놓여진 시간과
달라진 시간의 의미
쌓여가는 재미와
누리는 기쁨은
오롯이 삶이
지친 내게 주는
고마운 보상이다

퇴근 후 앉은
책상머리에
팔을 괴고
다가올 시간

새겨질 기억을
가슴으로 고대하며
오늘도
남은 절반의 삶을
소중하고 정성스레
채워 나간다

적응적 변화

좋은 시절 다 누리고
반평생 다닌 직장
오십 중반 퇴임할 때
철 지나 아쉽고
할 일 다해 서글퍼서
지는 해 바라보는
회한의
라떼족이었다

시간이 한해 흘러
운명처럼 터벅 터벅
생소한 자격 시험
부산한 채용 과정
이리 저리 비집고
다시 젊어진 신입의

출근길 아침
그립던 해가
매일 눈 부시게
반갑다

불과 엊그제처럼
박수받고 떠난
어깨 축 쳐진
퇴임 임원이
낡아서 할 일 많고
오밀조밀한 터
시끌벅적 탈 많은
시장 옆 서민아파트
젊고 패기있는
관리소장으로
다시
돌아와 있다

제2부 살아가는 컨텐츠

맥주예찬

나이 들며
자연스레 생긴 여백 속
자리한 시간
잔 갈증 식히려
가벼이 들이키는
맥주가 시나브로 좋아졌다

노란 물결사이
출렁이는 경량음에
피어오르는 하얀 포말을
투명한 잔에 가두어
가뭄 든 목으로
부어 넣으면
그 청량감에
몸서리 치다

해갈의 일성을
토해낸다

진한 갈색 유리성에서
찬란한 알미늄 갑옷으로
시대를 갈아입고
헤메이는 취향을
힙하게 저격하며
한잔의 여유를
하드캐리하는
맥아가 낳은
불세출의 영웅

그 무엇도 섞이지 않은
오직 순수한 너만을
섣부른 안주의 도움없이
주저없는 원샷으로
시원하게
마셔주리라

캠핑

모닥불 피워놓고
마주 앉아서
이야기 할 우리없이
조용히 피워놓은
불가에 홀로 앉았다

캠핑을 노동과
타협없이 착각하는
안드로메다 아내는
손 가는 야외 활동보다
편안한 호캉스를 외치시고

지난 시절
함께 하는 여유를
나중으로 예약해 둔

홀쩍 커버린
아들 녀석들의 시간표에
이제 아빠는
찾아보기 힘들다

그래도 기죽지 않고
혼자만의 작전은
과감하게 시작되었다

창고에서 오랜 시간
부름을 기다린
세월 지난 장비들을
든든하게 둘러 업고
조용하고 비밀스런
나만의 캠핑을
떠나가리라

새로이 맞이한
낭만의 시대

돌아온 타잔의
모닥불은
다시 불타 오르고
야성을 찾아가는
혼자만의 캠핑은
스스로의 재미를
더해갈 거다

그렇게
나의 캠핑은
다시 시작된다

동네 치과

오늘
이가 너무 아파
갑자기 아파 서러워
살면서 한결같이
겁나고 꺼려지는
동네 치과에 다녀왔다

자연에서 지급받은
단 하나의 영구치를
배임한 죄로
안경 벗고 눈가리고
턱이 저리도록
열어 젖힌 입으로
비명을 토하다가

날카로운 스케일러와
석션 소리
깍아 지르는 드릴에
무너지는 인격
소름끼치는 통증을
목구멍으로
쉴 새 없이 받아 삼킨다

서로 의지한 채
이열 횡대 길게 늘어선
치아 가족 사진보며
숙연한 마음으로
오랜 기간 열일하던
한 녀석의 사망 선고에
작별을 고할 틈도 없이
다음 친구의
가슴 아픈 운명을
전해 듣는다

이제 그리 싫어도
그래도 늦지않게
건치 계획 세워
마른 정 붙이고
드나들어야 한다

치료를 마치고
지옥문을 나서며
먼 하늘 쳐다보고
내려놓은 마음에도
가까이 하기엔
너무 먼
우리 동네 치과
변함없이 겁나는
우리 동네 치과

도서관 Ⅱ

이 곳에 오면 항상
책 내음에
책장 넘기는 소리
시름하는 열기에
사색이 넘친다

뒤늦게 알아버린
여기 작은 비밀로
채워지는 시간
사라지는 잔념

햇살을 뒤로하고
조용히 자리잡은
구석 자리 한켠
무언가 부여잡고

시름하다 내쳐지면
알지 못하는 사이
다가오는 가슴 따스함

이곳에 오면
그런 느낌에
그 익숙함에
설레이며
다시온다

마누라 잔소리

마누라 잔소리는
해마다 늘어난다

나른한 주말
소파에 구축된
중년 남자의 피난처에
청소기 돌아가는
소리에 실린
타격감 없는
무딘 포탄이
연신 날아든다

소크라테스 아내에
빙의된 마누라는
펜을 돌리기보다

청소기 돌리기
세탁기 돌리기를
간절히 원하시며
못마땅한 셸터에
선전 포고도 없이
발포 버튼을
힘차게 누르지만
나의 심장은
강철보다 강하고
눈과 귀를 막아주는
탄탄한 철옹성은
이미 준공 완료다

아이가 다 커서
어른 흉내를 낼 때부터
좌표 잃은 잔소리는
표적을 찾아 헤매다
소파 위에 표류하던
중년의 착한 남자를

손쉽게 포착하고
이미 장착된 포탄을
주저없이 날린다

포탄이 날아오고
포성이 울리지만
긴장감은 사라지고
일방적인 포탄은
시간이 지나며
폭죽으로 바뀌어
보는 재미에
듣는 재미가 넘쳐나고
잔소리하는 사람도
재미가 있는지
알 길은 없지만
듣고 있는 사람은
날마다 날마다
얄밉도록 재미있다

술 한잔

간혹
익어가는 술
그리운 이
차오르는 술잔
반가운 마음에
술 한잔 생각이
간절하다

일상을
오고 가다
뜻하지 않은
추억에 잠겨
허우적대다
힘겹게 빠져나오면
그 앞을 지키던

잔잔한 여운이
반가운 술 한잔
조용히 권한다

욕심이 부른
넋 나간 마음
길 잃고 헤메일 때
막걸리 한사발
파전 한조각에
회한의 탄성
시원하게 일갈하며
헛튼 속을 차린다

체면치레 일상에서
피곤하게 돌아와
플라스틱 접시 위
소박한 안주와
묵혀둔 이야기로
허기진 몸과 마음을

어르고 달래며
이슬처럼 떨어지는
깨끗한 소주

불타는 무더위와
침마른 집착이 부른
수분 결핍의 위기
살얼음과 크림이
범벅된 반 빙수의
노오란 맥주를
세치 혀의 도움없이
목구멍으로 주입하면
사태를 지켜보던
노가리와 치킨이
상황을 파악하고
바로 뒤를 따른다

발화성 불씨로
식도에서 위장까지

삽시간에 달구고
일찍이 귀화한
청나라 고칼로리
기름진 음식으로
화기를 제압한 뒤
대륙발 향수로
도발을 강행하는
중국몽 백주

포마드 머리에
칼 가르마 타고
왁싱한 통통다리
힘들게 꼬고 앉아
째즈 음악 시가 연기
안주없이 곁들여
뿌연 조명아래
도란도란 즐기는
상남자의 위스키

뭐라도 좋으니
오늘은 연락되는
가까운 벗 만나
아무 술이라도
한잔 권하고 싶다

발자욱

다다를 곳
알 순 없지만
오늘도 같은 시간
약속한 대로
익숙한 발길
내딛는다

이정표 없이
걷고 걸어
때론 막다른 골목
당황하다가
아쉬움 버려두고
새 길 찾아
발걸음을 재촉한다

끊어질 듯
길은 이어지고
그 길이 익숙할 때
추억이 고개 내밀어
그리움을 부르면
허전한 마음에
뒤돌아 본 순간
조용히 따라온
수많은 발자욱들

정신없이
걷고 뛰며
주저 앉아
숨 고르다
다시 박차고 일어나
함께 내딛은
수 많은 발자욱들이
이제 나를 보고
힘내라며

따스한 미소를

보낸다

제3부 여백을 채우다

출근길 아침비

밤새 정화된
깨끗한 공기에
아침 비 내린
출근 길 차창 밖은
눈이 부시도록
선명하다

아득한 지난 밤
술기운이 불러낸
잿빛 숙취가
거품을 터뜨리며
쓸려 나가도
여유로운 출근 길
흐르는 콧노래
간지러운 봄내음은

새로운 오늘이 주는
매일의 속삭임이다

팔당대교 넘나들며
아침강 아지랑이
저녁강 붉은 노을로
하루를 경계 짓고
힘차게 달려가는
들숨 날숨에
가슴이 상쾌하다

오늘 출근 길
아침비 내려
아침비에 젖어
아침이 차분하다

잠시 고민하다

아지랭이
나풀거려
눈앞이
어지럽고

봄바람
하늘거려
굳은 마음
설레는 건

방금 찾아든
낮잠 속 미련이
소리없이 불러낸
착각일까
누군가 던져버린

밀어의 파문인가

잔잔한 수면 위
파동을 제압하고
그 여운에 조용히
발 담그니
그제서야
알아 차렸네
거기 다가온
갈 곳 잃은
작은 물보라

그건 내가
만든 거라네
혼자
꿈꾼 거라네

조용히 돌아보니
스스로 깨닫고

저만치 달아난

한 순간의

해프닝인 걸

아내에게

지난한 시절
철없던 사람
허울뿐인 호기에
겁 없이 내민 손
주저없이 잡아주고
긴 세월 지나
오늘에 이르니
행복하고 고마웠다

차가운 비 피하려
함께 뛰고 걷다
뜨거운 햇살 아래
땀 닦으며 울고 웃던
시간의 주마등

그 사이 함께 한
소중한 두 녀석
한고비 두고비
정성 다해
인내로 다독이고
눈물로 키워냈다

어느덧
눈가에 서린 주름
잔잔한 미소로
동그랗게 나를 보는
한결같은 눈망울 있어
너무나 위안이요
고맙고 다행이오

언제나 그래왔듯
살아갈 날들
함께 하며
조용히 곁에서

가슴으로 부를

그대 이름은

내 아내입니다.

낮잠에 대한 고찰

나른한
휴일 오후
고개 살짝 돌려
몸을 기대면
두둥실 떠올라
어지러운 비행
아득해진 시야에
의식이 파편되어
산산이 흩어지고
저기 멀리
소용돌이 치다
금새 고요하다

시간은 내 편이고
여유가 한아름이라

이리저리
내달리던 마음
피곤한 감각에
휴식을 선사하고
예민해진 의식과
잠시의 작별을
소리없이 고한다

비염이 던져준
콧노래가
간혹 여정을
방해하지만
한가롭고
편안하게
스스로 위로받는
선물같은 휴식이다

소박한 여정을
마치고

돌아온 지금

자연스레

여백이 생겨나고

촉촉하고 상쾌한

공기가

꽤나 살갑다

십년만 더 할거다

더도 말고
덜도 말고
십년만 더
미련없이
일하련다

새로이 부르는
구수한 노동요
시원한 건배
부르고 외치며
끝이 예견되는
십년의 셈법 대신
다가오는 여정을
겸손하게 내딛는다

봄이면 이리저리

봄을 타다가
여름되어 느닷없이
불타오르고
가을엔 지난 시절
추억하다가
겨울되어 천천히
쉬기도 하면서
하나 둘 애깃거리
소복하게
쌓여 갈거다

그러다 십년 뒤
문득 찾은 서랍 속
빛바래고 구겨진 이력서엔
줄마다 읽을 거리
칸마다 기억 거리
열매처럼 영글어
추억으로 한아름
가득할거다

말 속도

공수를 오가며
쉴 틈 없는 말
끊임없는 문자로
반응 속도가 빨라져
머리가 위태롭고
몸이 피곤하다

각진 문자
거친 말이
눈과 귀를
휘감고 돌아
속도에 가속을 얹고
빼낼 틈을 비웃는
자판기 거스름 돈처럼
야박하게
쏟아져 내린다

문자들 말들
어지러운 얽힘이
머리에서 정리되고
마음을 돌고 돌아
둥글게 깍고 깍여
방울 방울 흩날리면
헛된 시간
괴롭힘 없이
서로가 좋으련만

여유는 없어지고
마음은 좁아져서
말 속도는 빨라지고
상처를 주고 받아
기다림없이
서로를 휘몰아친다
세상을 내몰아 간다

고마운 수다

지나버린 상영시간
영화관 출입문
조바심난 마음처럼
조금 늦은 약속 시간
종일 바쁜 작업에
늘어진 발걸음은
대공원역 4번 출구를
빠져나오자
종종걸음이 되었다

반가운 얼굴
견뎌온 얘기들
풀어내고
들어주려고
눈 동그랗게

열린 마음
따스하게
도란도란
정겨이 마주 앉았다

나이도 다르고
인생은 제각기
상황도 모르지만
같은 날 시험보고
가까운 동네에
비슷하게 배치받아
뒷배같이 든든한
친구가 되었다

짧은 시간
쉼 없이 이어지는
기나긴 이야기
고단한 넋두리는
각자가 아닌

우리가 되어
이야기 꽃피는
단란한 가족의
시골 초가 지붕 위
함박눈 꽃처럼
오늘도 차곡차곡
구성지게
쌓여간다

마녀의 성

마녀의 성에 갇혀
인고의 세월을
손꼽아 기다리며
장미 넝쿨 건너
광야에 말 달리려
오늘 밤도
탈출 퍼즐을
하나씩 맞춘다

기약없는 물레를
돌리고 돌려
찰지게 뭉친 실로
밧줄을 엮어
마녀의 손에 걸고
땅거미 지는

성벽을 넘어
다가오는 새벽으로
힘차게
달려가리라

어떠한 마법에도
굴하지 않고
오래 전 건네받은
저멀리 보루네오 산
부두인형의 유혹에도
흔들림 없이
또렷한 정신은
새벽을 지나
떠오르는 태양을
맞이하러
퍼즐의 끝자락을
정성스레
옮겨간다

제**4**부 함께 숨쉬는 작은 것들

봄

다시 봄이
오나 보다

지난 겨울
날 선 추위에
살포시 싸여
부끄러운 속살 감추려
빼꼼이 내민
연두 빛 새싹이
눈부시게 반갑다

지루한 긴 밤
매운 바람
찬서리 이겨
다시 돌아온 봄은

그래도
변함없이 따스하고
그리워 더 정겹다

겨우 내
찾는 이 없던
골목길 평상 옆
봄 햇살이
키운 화분에
새싹이 영글고
봄기운 날아갈까
가슴이 설레인다

지나치기
아쉬운 마음에
잠시 마주앉아
나눈 짧은 한마디
대답하듯 돌아온
봄 바람 하늘거림

그렇게 봄은
내게 성큼
다가와 있다

소나무

한결같은
모습으로
그 자리에
서 있다

비바람에 흔들리고
함박눈 찬서리
이고 맞아도
항상 그 자리
긴가지 늘어뜨려
겸허히 바라본다

홀로 있음에
어색하지 않고
불편한 시선에

너그러움 묻어나는
소나무 한그루
가슴 속에
심고 싶다

굽이 굽이 강물처럼
긴시간 흘러
나약한 마음
눈 내리고
바람 불어도
소나무는
그 자리에
계속 푸르게 남아
그렇게 기다릴 거다

들꽃

이슬 한모금
가벼이 머금고
소박한 자리에
수줍게 돌아 앉은
들꽃 한송이
소리없이
하늘거린다

흐르는 시선
내쳐진 발길에
어여쁜 기색
멀리하고
이슬 한모금
바람 한줄기
약 삼아 버텨내며

풀이 되고
꽃이 되어
그 자리에
남아있다

오가는 발길
무심한 마음 속
반가움이
그리움되면
어느새
꽃잎 날리고
들꽃 향기도
꽃잎처럼
조용히
내려 앉는다

유리병 꽃

꽃이 예뻐서
꽃을 꺾어와
유리병에 옮겼다

아름다움은
가벼이 옮겼으나
흙과 바람
그리고 햇살은
그 자리에 두고
외로움만
묻어 왔다

그늘 드리운
빛깔 고운 꽃대는
아름다우나

향기를 잃어가고
조용히 고개 숙여
있던 곳을
하던 것을
그리워
그리워한다

흙과 바람
그리고 햇살이
그리워
남은 향기가
눈물처럼
번진다

덧붙이는 말

어설프게 잡은 펜으로 한편 두편 틈나는 대로 쓰다보니
어느덧 두번째 시집을 출간하게 되었습니다
특별한 글재주가 있는 것도 아니고 정해둔 이유나 목적이
있는 것도 아니지만 시를 쓰며 스스로 되돌아 보고 새로
이 만나는 나를 발견합니다

첫 번째 시집인 『노을지기 이른시간』이 오랜 기간 해오
던 익숙한 일을 마감하고 새로운 일을 시작하면서 일상에
서 느끼게 되는 소회를 담담하게 그렸다면, 두번째 시집
『햇살에 기대다』는 새로운 생활과 환경에 적응해 가면
서 다가올 미래에 대한 생각과 기대들을 조금씩 담아 보
았습니다
작가 스스로도 자랑할만한 대단한 작품이 아니니 이 책을
읽으시는 독자분들께서 그저 가벼이 읽고 힐링하는 작은
휴식 같은 시가 된다면 더할 나위 없이 좋겠습니다

작가의 삶

滿泉　이 동 우

평범한 가정에서 태어나 어쩌다가 남들보다 훨씬 강도 높
은 사춘기를 겪고 취직이 잘 된다는 주변의 권유로 적성
과 맞지 않는 전공을 선택하여 대학 시절도 사춘기 못지
않게 방황하였으나 다행히 복학하여 미래가 걱정되기 시
작하자 제법 학업에 정진하여 당시만 해도 경기가 좋을
때라 남들 따라 줄줄이 삼성그룹에 공채로 입사하여 삼성
물산의 임원으로 퇴임하기까지 파란만장한 회사 생활을
마무리하고 그만 쉬려고 하였으나 젊은 나이에 오래 쉬면
탈이 날 것 같아 삼십년 간 쉼 없이 달리던 경주마의 삶
을 정리하지 못하고 나이 들어서도 지속 가능하다는 나름
어려운 주택관리사 시험에 응시하여 자격증을 취득하고
주택관리업으로 진입에 성공하여 관리소장으로 열심히 일
하며 틈나는 대로 작가의 소임도 다하는 재미진 인생을
소박하게 살아가고 있습니다